JN057419

CHOPIN *magazine* PRESENTS

POCKET SCORE

CHOPIN

X

BARCAROLLE
THE OTHERS

1830年　フンメル画

ポケットスコア第10巻は、第9巻までに収められなかった曲を集めました。『舟歌』等よく知られた名曲から、滅多に弾く機会も聴く機会もない小曲まで20曲を収録してあります。

『幻想曲 (Fantaisie)』

ジョルジュ・サンドと過ごしたノアンで、1841年に作曲された『幻想曲』作品49。ショパン充実の時代に作曲されたこの曲は、ソナタ形式を基本としていながらも自由な表現が特徴的です。重く暗い行進曲風の序奏に始まり、次第に高まるとアジタートの主題が登場。途中、コラールを思わせるような美しい中間部をはさんで、力強く主題を再現し、コーダへと進みます。

『子守歌 (Berceuse)』

オスティナート風に繰り返される伴奏は、ゆりかごに揺られるかのような心地よさを醸し出し、そこに乗せて奏でられるメロディーは、4小節単位で少しずつ変化や装飾が加えられます。シンプルな曲ですが、繊細で美しく、夢の世界にいざなってくれます。

『舟歌 (Barcarolle)』

ショパン晩年の傑作と言われる作品。一般的な舟歌が6/8拍子であるのに対し、12/8拍子で書かれているため、息の長いフレーズが強調され、より優雅な雰囲気となっています。さざ波を思わせるような静かな伴奏となめらかな旋律から始まり、少し速い流れにさしかかったかのような中間部、ショパンらしいフィギュレーションを経て、主題を再現します。

『演奏会用アレグロ (Allegro de Concert)』

協奏曲風の作風で、当初2台ピアノかピアノ協奏曲として考えられていた曲ではないかと言われています。長い序奏を持つ自由なソナタ形式で、とても華やかな雰囲気が特徴的です。

『変奏曲 (Variations)』

ショパンは5曲の変奏曲を残しました。ここでは4手のものをのぞいた4曲（ドイツ民謡『スイスの少年』による変奏曲、華麗なる変奏曲、パガニーニの思い出による変奏曲、ヘクサメロン変奏曲）を収録しました。華やかな序奏やフィナーレに、〈ショパンらしさ〉が発揮されています。

『ボレロ (Boléro)』

スペインの民族舞踊であるボレロの特徴を用いて書かれていますが、左手のリズムはポロネーズと同じ形になっています。随所に感じられる異国情緒が魅力的です。

『タランテラ (Tarentelle)』

イタリアの舞曲「タランテラ」を意識して作られた曲。速いテンポで常動曲風の小品です。

『葬送行進曲 (Marche Funèbre)』

1827年、妹エミリアの死に際して作られたのではないかと考えられています。

『3つのエコセーズ (3 Écossaises)』

1826年作曲。速い2/4拍子の舞曲「エコセーズ」の形式を使った躍動的な小品です。

『コントルダンス (Contredanse)』

1827年作曲。イギリスの舞曲「コントルダンス」風のやわらかな雰囲気の作品です。

『カンタービレ (Cantabile)』

1834年作曲。とても短いけれど、叙情に満ちた作品です。

『アルバムの綴り (Feuille d'Album)』

1843年作曲。タイトルは、シェレメティエフ伯爵夫人のアルバムから見つかったことに由来しています。ノクターン風の静かな作品。

『ラルゴ (Largo)』

1837年頃に作曲されたコラール風の作品。

『フーガ (Fuga)』

対位法を用いた2声のフーガ。1841年頃、生徒のために書いたのではないかと言われています。

『春 (Wiosna)』

1838年作曲。同名の歌曲をショパン自身がピアノ独奏用にアレンジしたものです。

『2つのブーレ (2 Bourrées)』

1846年頃の作曲。フランスの舞曲「ブーレ」の形式を用いた短い作品。

『ギャロップ・マルキ (Galop Marquis)』

1846年作曲。ジョルジュ・サンドの愛犬「マルキ」と「ディブ」のために作曲されました。

3 Écossaises 3つのエコセーズ

Contredanse コントルダンス

Cantabile カンタービレ

Feuille d'Album アルバムの綴り

Largo ラルゴ

Fuga フーガ

Wiosna 春

2 Bourrées 2 つのブーレ

Galop Marquis ギャロップ・マルキ

Fantaisie

幻想曲

Op.49

21
p
Ped.
Ped.
Ped.
Ped.
Ped.
(Ped. simile)
25
28
32
35
(Ped.
Ped.

39
pp
43
p
poco
a
poco
47
doppio
movimento
cresc.
50
ff
54

58
cresc.
f
61
cresc.
8va
64
8va
ff
67
agitato
p
cresc.
sf
70

73
76
(poco rit.)
(a tempo)
8va
(p)
79
(dim.)
82
(cresc.)
85
8va

89
8va
(crescendo)
92
8va
f
95
(p)
f
98
(p)
101
p
cresc.
simile

104
107
ff
111
115
120

124
(stretto)
p
130
136
142
f
8va
145
8va
8va

147
8va
8va
150
8va
ff
154
p
cresc.
158
161
(poco rit.)

(a tempo)
8va
(p)
167
(dim.)
170
(cresc.)
f
173
8va
176
cresc.
8va

179
8va
(p)
182
186
slentando
189
accel.
dim.
192
8va
calando

195
8va
rall.
pp
Lento sostenuto
(dolce)
201
(cresc.)
(dim.)
p
207
(cresc. -
mf)
(simile) sempre legato
213
(rit.)
(a tempo)
(dim -
pp)
(come sopra)
218
rit.
(cresc.)
(dim.)

Tempo I
223
sf
f
226
229
232
ff
236
cresc.

239
Ped.
242
(poco rit.)
(a tempo)
8va
(p)
245
8va
3
(dim.)
248
(cresc.)
251
f

254
8va
257
8va
cresc.
260
f
3
(p)
263
8va
f
3
266
(p)
simile
cresc.

269
272
276
ff
Ped. come sopra
281
3
3
286

stretto
291
più mosso
f
297
302
cresc.
sempre più
307
mosso
sfff
Ped.
311
(✻ Ped.)

314
317
320
Adagio sostenuto
ff
pp
smorzando
(p)
Assai allegro
sf
323
cresc.
(simile)
8va
327
(f) dim.
ff

Berceuse
子守歌

Op.57

16
Ped.
19
tr
21
8va
23
3
6
8
26

28
8va
8va
30
8va
32
34
36
8va

38
Ped.
39
3
3
Ped.
40
Ped.
41
Ped.
8va
42
Ped.

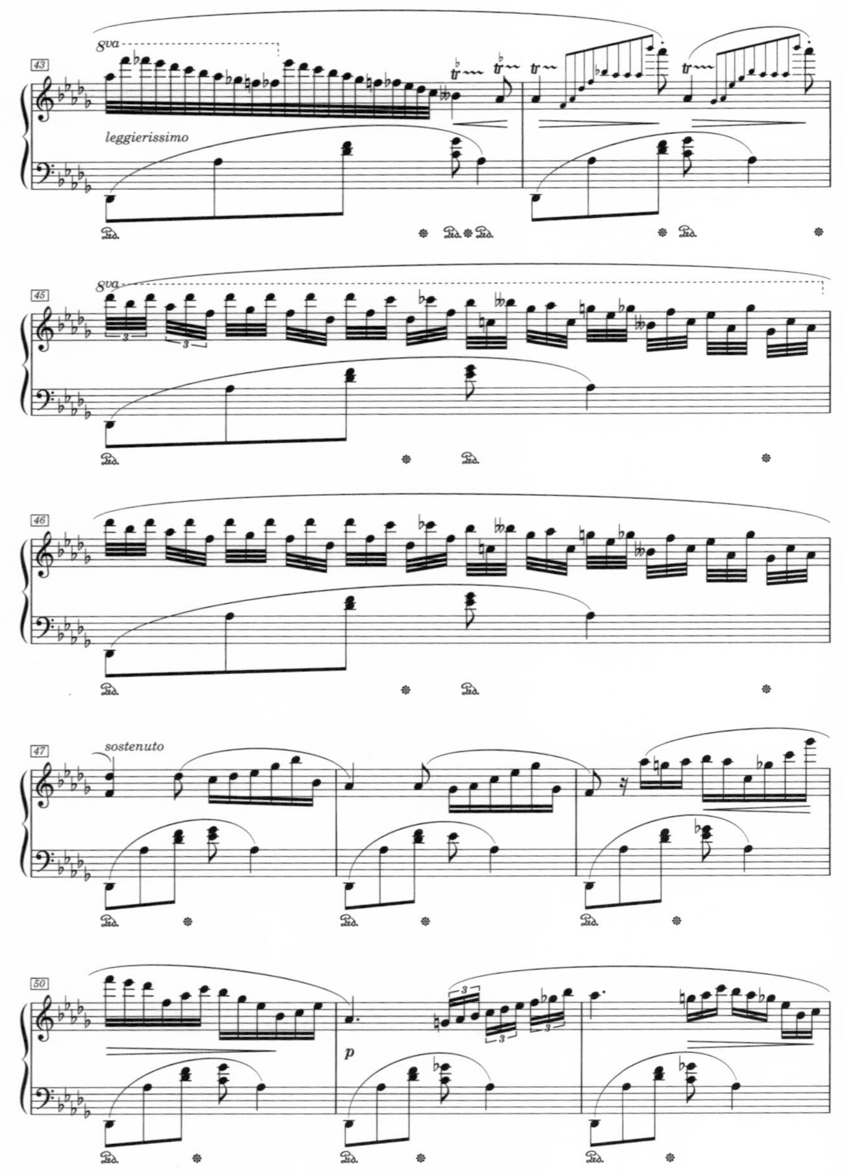
43
8va
tr
leggierissimo
45
8va
3
46
47
sostenuto
50
3
p

53
8va
pp
56
59
dim.
62
66

Barcarolle
舟歌

Op.60

15
17
19
21
23
cresc.
f
dim.

25
tr
tr
27
cresc.
29
cresc.
(sempre cresc.)
31
ten.
ten.
tr
(cresc.)
f
dim.
33
f
dim.
rall.

35
poco più mosso
pp
(cresc.
dim.
38
(rall.)
(a tempo)
ten.
sotto voce
41
ten.
sempre p
44
ten.
47

49
tr
f
52
8
p
55
tr
f
58
8
p
cresc.
60
7
rit.

poco più mosso
dim.
meno mosso

77
dolce sfogato
10
7
7
80
8va
5
82
ritenuto
cresc.
Tempo I
84
f
cresc.
simile
86

89
91
cresc.
93
più mosso
ff
96
98

100
102
rit.
Tempo I
ff
f
104
106
sempre f
108

110
8va
111
calando
p
sf
dim.
113
leggiero
pp
114
8va
115
8va
cresc.
ff

Allegro de Concert

演奏会用アレグロ

21
cresc.
24
27
ff
30
33
sf
(p)

36
ff
40
(p)
44
tr
48
52
tr

56
f
cresc.
60
cresc.
64
ff
68
72
raddolcendo
p

76
79
rall.
83
pp
accelerando
p
8va
88
ri - te - nu - to
ff
tr
sf
(a tempo)
dolce

91
93
95
97
99
8va
8va
f
tr

101
tr
Ped.
103
f
105
leggiero
107
8va
p
109
sf
cresc.

111
sf
cresc.
Ped.
113
115
dim.
Ped.
Ped.
8va
117
8va
Ped.
119
sf
cresc.

121
123
poco ritenuto
sostenuto
(f)
126
3
130
tr
134
8va

136
cresc.
(f)
(dim.)
139
cresc.
f
142
3
cresc.
145
8va
(f)
7
148
8va
3
3
ten.
poco ritenuto
3
3
3

150
a tempo
8va
f
152
8va
154
8va
156
8va
158

160
162
cresc.
164
8va
p
166
8va
8va
168
cresc.

169
8va
f
171
8va
p
173
8va
15
f
175
8va
p
cresc.
f
178
6
6

stretto
180
182
(a tempo)
ff
185
188
ff sempre
191

194
197
ff
ten.
200
p
203
3
pp
6
pp
206
tr

210
8va
Ped.
212
tr
213
214
215
cresc.
ff
218
8va
3
221
3
tr

223
ten.
225
p
cresc.
226
stretto
f
rit.
dim.
(a tempo)
dolce
229
ten.
232
ten.

235
237
ten.
tr
239
legato
(p)
8va
241
243

245
8va
leggiero
Ped.
247
sf
249
f
251
253

255
8va
dolce
9
257
8va
cresc.
raddolcendo
259
cresc.
f
6
tr
262
264
cresc.

266
268
stretto
ff
8va
271
274
276

Variations

ドイツ民謡『スイスの少年』による変奏曲

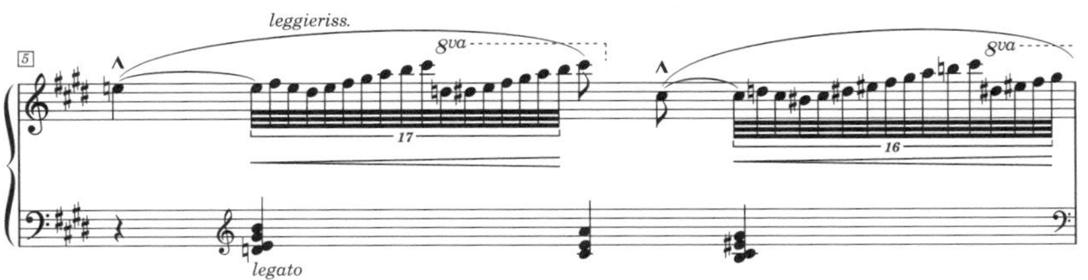

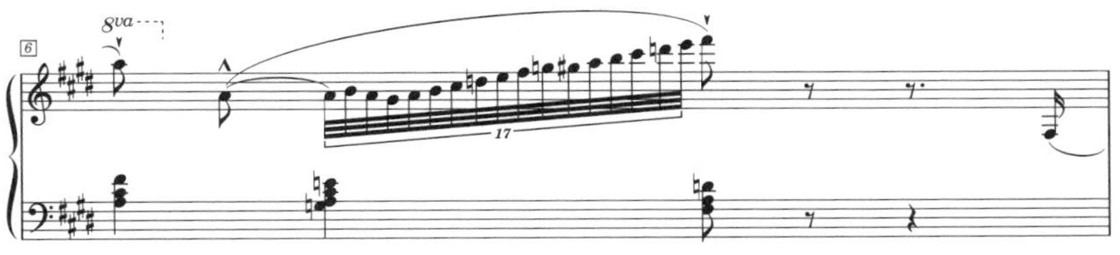

7
leggieriss.
16
16
p
sempre legato

8
poco rall.
16
pp
(a tempo)
p legato

10
delicato
pp

13
8va
rall.
p
dim.

THÈME
Andantino 𝅗𝅥=54
semplice senza ornamenti
(14)
p

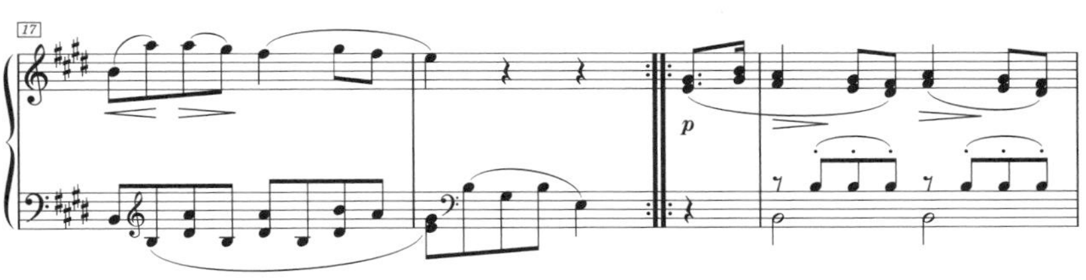
17
p

20
delicato
Ped.

23

VAR.I

Elegantemente 𝅗𝅥=80
(26)
tr
mezza voce
8va
29
1.
2.
stacc.
sf
(31)
p
34
poco rall.
stacc.
a tempo
pp
37

VAR.II
Scherzando 𝅗𝅥=72
(39)
sf p sf p
f dim.
42
8va
f p
1.
2.
p
45
48
8va
f pp
sf p sf p
f dim.
51
8va
p
1.
2.

VAR.III
Tranquillamente 𝅗𝅥=60
(53)
p
56
1.
2.
marcato
(58)
p
61
64

VAR.IV
Meno mosso ♩=63
(66)
p
espressivo e sempre sostenuto
p
legatiss.
tr
1.
pesante
71
2.
pesante
sf
espress.
ten.
cresc.
f
pesante
74
pesante
sempre sostenuto
p
p
78
1.
tr
p
pesante
sf
2.
tr
smorz.
pp
attacca
Tempo di Valse 𝅗𝅥.=72
81
leggiero
8va
tr
f brillante

87
dim.
p
93
legato
99
cresc.
dim.
105
p leggiero
8va
tr
f
111
(p)
cresc.

116
sf
123
129
8va
tr
f
135
p
cresc.
141
f
elegante
dim.

147
8va
tr
f
risoluto
dim.
marcato
marcato
cresc.
153
dim.
poco più animato
f
cresc.
159
8va
dim.
p
il canto ben
165
8va
poco
a
poco
cresc.
marcato
171
8va
ff
legato
ff
(m.s.)

Variations Brillantes

華麗なる変奏曲

INTRODUCTION

Allegro maestoso ♩=116

Op.12

17
poco rit.
20
23
8va
26
dim.
28
(p)
30
tr
poco rall.
leggierissimo

THÈME
Allegro moderato

65
8va
68
8va
72
75
sf
78
rit.
sf
(a tempo)
8va
p

81
poco
cresc.
85
cresc.-
p
8va
rit.
leggierissimo
Ped.
88
(a tempo)
f
p
f
ff
(92)
♩.=66
pp
sherzando
96

99
rit.
(a tempo)
dim.
sf
102
f
p
f
105
p
108
cresc.
p
cresc.
poco stretto
111
rit.
dim.
dolcissimo
114
rit.
rall.
pp

117
Lento ♩.=42
ten.
con anima
legato
120
123
rit.
(a tempo)
leggieriss.
8va
126
leggieriss.
8va
129
dolciss.
poco cresc.

132
rit.
8va
rall.
8va
delicatissimo
135
a tempo
ten.
5
138
cresc.
140
3
f
142
f

143
p
dim.
Ped.
144
rall.
sempre dim.
pp
Ped.
Scherzo vivace ♩.=88
145
p
Ped.
149
poco rall.
a tempo
8va
pp
delicatiss.
dolciss.
Ped.
152
ff
p
Ped.

156
8va
f
dolce
160
164
cresc.
167
8va
f
decresc.
leggiero
170
8va

173
scherzando
8va
f
176
cresc.
sf
de-
180
cre
scen
do
f
leggiero
p
184
187

190
8va
f
193
cresc.
196
con fuoco
ff
200
sempre
più
ani-
-ma-
-to
e
cre-
204
-scen-
-do-
veloce
rf

8va
208
cresc.
dim.
211
rit.
a tempo
f
214
cresc.
ff
217
220
ff

Souvenir de Paganini

パガニーニの思い出による変奏曲

24
Ped. ✽ Ped. ✽ Ped. ✽ Ped. ✽ Ped. ✽ Ped. ✽ Ped. ✽
28
Ped. ✽ Ped. ✽ Ped. ✽ Ped. ✽
31
34
f
38
p

41
8va
3
3
3
44
p
48
p
51
8va
56
8va
leggiero

60
8va
31
f
62
8va
p
leggiero
65
8va
cresc.
68
8va
dolcissimo
71
8va
8va

74
8va
77
8va
80
pp
legatissimo
83
tr
f
87
pp
morendo
8va
𝒫𝑒𝑑.

Variation

ヘクサメロン変奏曲

9
ff
11
13
raddolcendo
pp
15
17

Boléro

ボレロ

Op.19

Più lento ♪=104
con anima
34
p
40
sf
47
sf
54
61
cresc.
sf
p
68

75
accelerando
8va
79
molto accel. e dim.
82
85
88
Allegro vivace ♩=88
ten.
sf
p
91
ten.
8va
sf

94
97
100
ten.
cresc.
sf
8va
104
cresc.
108
dolce

112
cresc.
116
f
poco rit.
a tempo
sf
119
p
dim.
poco rit.
122
a tempo
p
125
8va

128
131
ff
sf
134
8va
risoluto
138
ten.
con anima
142
cresc.

145
f
148
leggiero
p
8va
150
pp
8va
153
ten.
8va
156
dolce
ten.

160
8va
con forza
3
5
9
dolciss.
5
ten.
164
rit.
168
a tempo
3
dim.
170
172
f
6

175
177
8va
Ped.
sf
179
p
182
cresc.
185
pp
rit.
tr

188
a tempo
poco rall.
a tempo
pp
192
8va
p leggierissimo
sf
cresc.
195
sf
p
rit.
(m.d.)
199
a tempo
p
sf
202
8va

205
208
211
ten.
cresc.
214
8va
sf
218
dolce

221
224
cresc.
227
rit.
f
230
a tempo
sf
p
dimin.
233
poco rit.
a tempo
sf
p
236
8va

239
tr
cresc.
243
f
sf
sf
246
cresc.
8va
ff
250
risoluto
ff
ten.
254
f
accel.
dim.
8va
257
8va
ff

Tarentelle

タランテラ

30
f
37
43
ff
49
(p)
55
61

68
sf
ff
73
ff
78
84
p
89
94
cresc.

99
dim.
p
105
110
cresc.
115
dim.
120
8
126
8

132
p
137
141
cresc.
146
dim.
sf
sf
sf
151
sf
sf
sf

156
sf
sf
sf
sf
sf
161
sf
poco a poco più animato
ff
166
171
8va
176

più animato
180
p
184
188
192
f
197

202
ff
206
211
f
216
ff
221

sempre più animato e crescendo
226
(dim.)
(pp)
230
234
238
242

246
250
(cresc. sempre)
255
260
sf
fff
265
sf
ff

Marche Funèbre
葬送行進曲

Op.72-2

TRIO
27
p
Ped.
32
37
42
f
47

51
p
Ped.
Ped.
(Ped.)
Ped.
Ped.
56
Ped.
(Ped.)
Ped.
p
61
cresc.
65
mf
69
p
73
cresc.
f

3 Écossaises

3つのエコセーズ

Op.72-3, 4, 5

19
8va
23
f
II
f
5
1.
2.
10
(f)

14
1.
2.
8va
p
Ped.
III
mf
4
8
f
tr
13
cresc.

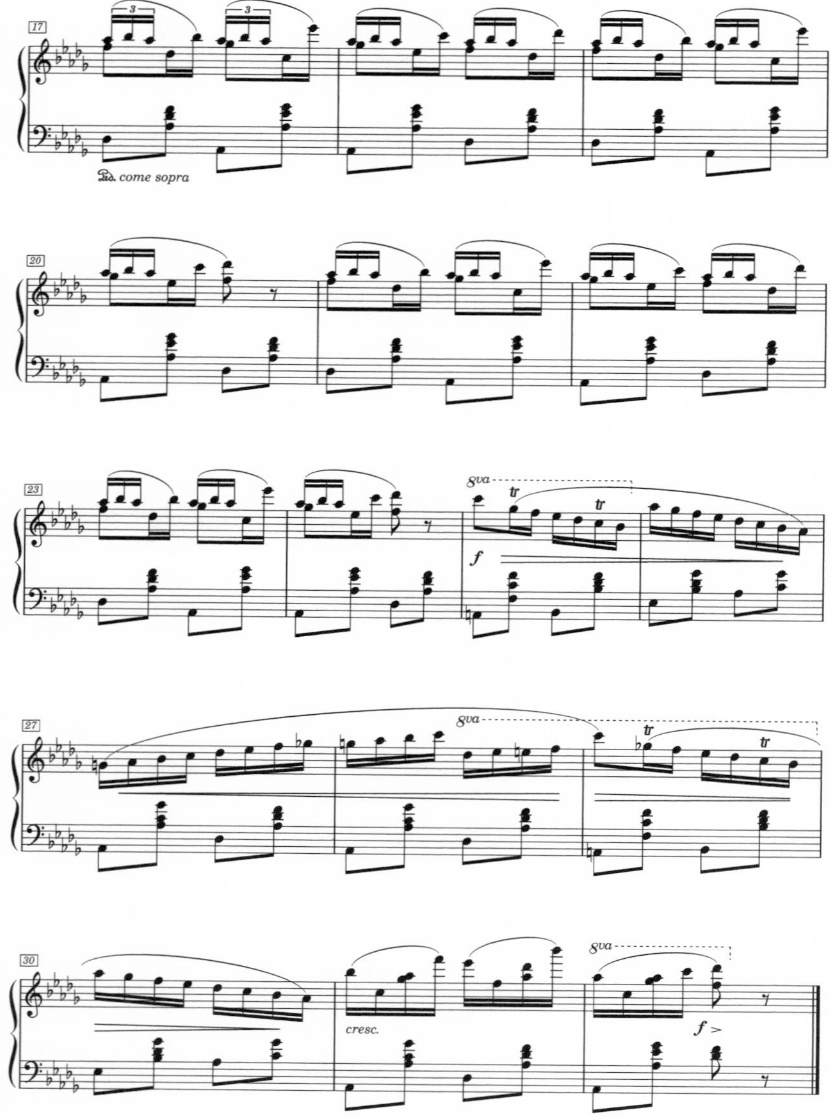
17
Ped. come sopra
20
23
8va
tr
f
27
30
cresc.
f >

Contredanse
コントルダンス

17
a tempo
mf
21
Trio
(24)
dolce
simile
29
(32)

37
mf
41
45
più forte
rall.
49
a tempo
mf
53

Cantabile

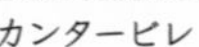

Feuille d'Album

アルバムの綴り

Largo
ラルゴ

Largo
mf
p
simile
6
p
11
mf
cresc.
f
dim.
16
p
pp
molto crescendo
20
ff
dim.
p

Fuga
フーガ

21
tr
tr
25
29
tr
33
tr
tr
tr
tr
37
tr
41
tr

45
tr
49
tr
tr
53
tr
tr
57
tr
61
tr
65

Wiosna

春

2 Bourrées

2 つのブーレ

Galop Marquis

ギャロップ・マルキ

CHOPIN *magazine* PRESENTS
POCKET SCORE

CHOPIN X

BARCAROLLE
THE OTHERS

本シリーズは基本的にパデレフスキー版に準拠した。
『2つのブーレ』『ギャロップ・マルキ』はナショナル・エディションを参考にした。

2010年11月20日　初版発行

定　価　本体1,400円＋税
発行人　内藤克洋
発行所　株式会社ショパン
〒153-0061
東京都目黒区中目黒3-5-5-301
Tel　03-5721-5525
Fax　03-5721-6226
振替　00140-6-15241
http://www.chopin.co.jp

制作協力　株式会社アルスノヴァ
印刷所　モリモト印刷株式会社

ISBN978-4-88364-296-0